So schön ist Bonn

Sachbuchverlag Karin Mader

Fotos:
Jost Schilgen

Foto Seite 18:
Presseamt Stadt Bonn, M. Sondermann

Text:
Wulf-Peter Schroeder

© by Sachbuchverlag Karin Mader
D-28879 Grasberg

Grasberg 1994
Alle Rechte, auch auszugsweise, vorbehalten.

Übersetzungen:
Englisch: Michael Meadows
Französisch: Mireille Patel

Printed in Germany

ISBN 3-921957-79-6

In dieser Serie sind erschienen:

Aschaffenburg
Baden-Baden
Bad Oeynhausen
Bad Pyrmont
Bochum
Braunschweig
Bremen
Buxtehude
Celle
Cuxhaven
Darmstadt
Darmstadt und der Jugendstil
Duisburg
Die Eifel
Eisenach
Erfurt
Essen
Flensburg
Fulda
Gießen

Göttingen
Hagen
Hamburg
Heidelberg
Herrenhäuser Gärten
Hildesheim
Kaiserslautern
Karlsruhe
Kiel
Koblenz
Krefeld
Das Lipperland
Lübeck
Lüneburg
Mainz
Mannheim
Marburg
Mecklenburg-Vorpommern
– Die Küste
Minden

Münster
Ostfriesland – Die Küste
Paderborn
Recklinghausen
Regensburg
Der Rheingau
Rostock
Rügen
Schwerin
Siegen
Stade
Sylt
Tübingen
Ulm
Wiesbaden
Wilhelmshaven
Wolfsburg
Würzburg
Wuppertal

Titelbild:
Rathaus

Bonn – seit dem Berlin-Beschluß des deutschen Bundestages vom 20. Juni 1991 nicht mehr Bundeshauptstadt – steht immer noch, und wohl auch in Zukunft für die deutsche Politik. Sie wird künftig an der Spree, aber zu einem guten Teil eben auch am Rhein gemacht, wo gesetzlich verankerte Milliardenbeträge den Verlust der ganzen Macht erträglicher machen und der Stadt ein neues Image als Stadt der Wissenschaft und neuen Technologien geben werden.

Eins aber wird sich nicht ändern: Das Bonn der 300 000 dort lebenden Bürger mit zahlreichen Zeugen seiner 2000jährigen Geschichte, seiner quirligen City, seinen Parks und Wäldern, seinen großen Museen und kleinen Idyllen in Fachwerkdörfern und Gründerzeitvierteln, die die Kriege unzerstört überdauerten.

Wer nicht der Politik wegen kommt, der braucht schon ein paar Tage, um diesem Bonn auf die Spur zu kommen.

As of the Berlin Decree of the German Parliament on June 20, 1991, Bonn ceased being the German Capital but still stands for German politics, and will contine to do so in the future. Policies will be made on the Spree River, but a good portion will also be done on the Rhine, where billions of marks have been allotted for developing a new image of the city as a center of science and new technologies, so as to compensate for the loss of all that power.

But one thing will not change. Bonn's 300,000 inhabitants and the numerous testamonies to its 2000-year history, the busy city, its parks and forests, its large museums and small idyllic half-timbered villages and the neighborhoods dating from the late 19th century which survived the wars undamaged.

Those who are not here for politics will certainly need a few days to discover this side of Bonn.

Depuis la résolution de la diète fédérale du 20 juin 1991 Bonn n'est plus la capitale fédérale, mais elle joue et continuera de jouer un grand rôle dans la politique allemande. A l'avenir celle-ci sera faite au bord de la Spree, mais aussi, en grande partie, au bord du Rhin. Des investissements ayant fait l'objet de décrets et s'élevant à plusieurs milliards, rendront plus supportable pour la ville la perte du pouvoir et lui donneront une nouvelle image de marque, celle de ville de la science et de la nouvelle technologie.

Une chose, cependant, ne changera pas, la ville des 300 000 habitants qui y vivent, les nombreux témoins de son histoire vieille de 2 000 ans, son centre-ville tourbillonnant, ses parcs et ses bois, ses grands musées, ses idylliques villages à colombages et ses quartiers de la fin du siècle dernier qui ne furent pas touchés par la guerre.

Qui ne vient pas à Bonn pour la politique aura besoin de plusieurs jours pour découvrir cette Bonn-là.

Stadtbummel

Das Alte Rathaus mit seiner prachtvollen Wappenkartusche und dem vergoldeten Geländer, der ausladenden Freitreppe, stammt aus dem Jahr 1737 und wurde unter Kurfürst Clemens August von dem französischen Architekten Michael Leveilly gebaut. Nach den Zerstörungen 1944/45 wurde es – zumindest äußerlich – originalgetreu wiederaufgebaut.

The Old Town Hall, with its magnificent coat-of-arms, gilt railings and the outer staircase, was constructed under Elector-Prince Clemens August by the French architect, Michael Leveilly, in 1737. It was restored to its original form, at least externally, after having been destroyed in 1944/45.

Le Vieil Hôtel de Ville avec son magnifique blason, sa rampe dorée et son escalier accueillant date de 1737 et fut construit durant l'électorat du prince Clemens August par l'architecte français Michel Leveilly. Ayant souffert des bombardements de 1944/45, il fut reconstruit conformément à l'original – du moins pour ce qui est de l'extérieur.

Der dreieckige Marktplatz zu Füßen des Alten Rathauses mündet in die Sternstraße, die mit ihren schmalbrüstigen Häuschen die beliebteste Einkaufsstraße von Bonn ist. Die Sternstraße ist auch die Keimzelle einer der ersten und immer noch größten zusammenhängenden Fußgängerzonen Deutschlands.

The triangular marketplace at the foot of the Town Hall narrows into Sternstraße, with its narrow buildings the favorite street for shopping in Bonn. Sternstraße is also the center of the first, and still the largest, contiguous pedestrian zone in Germany.

La place du Marché triangulaire, au pied du Vieil Hôtel de Ville, débouche dans la Sternstrasse. Bordé de maisons étroites, c'est la rue commerçante la plus populaire de Bonn. C'est la cellule originale de l'une des premières zones piétonnes d'Allemagne et c'en est, encore aujourd'hui, l'une des plus grandes.

Das Geburtshaus Ludwig van Beethovens in der Bonngasse lockt ständig Tausende von Besuchern – vor allem aus Japan. In den benachbarten Häusern „Zum Mohren" und dem Haus des Beethoven-Kammermusiksaales ist das Beethovenarchiv untergebracht. Hier werden die meisten Original-Handschriften des Komponisten gehegt und gepflegt.

Ludwig van Beethoven's house of birth on Bonngasse continues to attract thousands of visitors – particularly Japanese. The Beethoven Archives are housed in the neighboring buildings, "Zum Mohren" and the Beethoven Chamber Music Concert Hall. The majority of the composer's original, hand-written documents are preserved here.

Le flot des visiteurs se rendant à la maison natale de Ludwig van Beethoven ne tarit jamais. Les Japonais sont les plus nombreux. Les archives concernant Beethoven sont logées dans les maisons voisines «Zum Mohren» et la maison de la Salle de Musique de Chambre de Beethoven. La plus grande partie des écrits originaux du compositeur y sont rassemblés et entretenus.

Die Hauptpost – das ehemalige Fürsten-berg'sche Palais – bildet die Kulisse zu dem 1845 von dem Dresdner Bildhauer Ernst Hähnel geschaffenen Beethoven-Denkmal auf dem Münsterplatz. Es wurde in Gegenwart von König Friedrich Wilhelm IV. von Preußen und Königin Viktoria von England zur Musik von Franz Liszt eingeweiht. Der Münsterplatz ist ständige Bühne großer und kleiner, politischer und unterhaltsamer Demonstrationen und Darbietungen.

The Main Post Office – originally Fürstenberg Palace – serves as the backdrop for the Beetho-ven Monument in Münsterplatz which was created by Dresdner sculptor, Ernst Hähnel, in 1845. King Friedrich Wilhelm IV of Prussia and Queen Victoria of England attended its unveiling, which took place to the music of Franz Liszt. Münsterplatz is often the site of large and small political and cultural demon-strations and performances.

La Hauptpost – ancien palais Fürstenberg – forme la toile de fond du monument de Beethoven, œuvre du sculpteur de Dresde Ernst Hähnel, exécutée en 1845. Ce monument fut inauguré en présence du roi de Prusse Fried-rich Wilhelm IV et de la reine Victoria d'Angleterre, sur une musique de Franz Liszt. La Münsterplatz est le théâtre de manifesta-tions et événements politiques ou de divertisse-ments, petits ou grands.

Schlichte Barock- und aufwendige Gründerzeit-fassaden machen den Reiz des Herzstücks der Bonner Fußgängerzone in der Sternstraße (oben) und am Dreieck (rechts) aus. Das Dreieck ziert ein Brunnen mit einer verspielten Darstellung der Drei Grazien. In unmittelbarer Nachbarschaft – im Mauspfad – befindet sich das älteste Weinhaus der Stadt.

Simple baroque and elaborate late 19th century façades lend a charm to the heart of Bonn's pedestrian zone on Sternstraße (above) and at Dreieck (right). A fountain with the playful representation of the Three Graces decorates Dreieck. The oldest wine tavern in the city can be found in the neighboring Mauspfad (Mouse Path).

Les sobres façades baroques et celles plus élaborées de la période de la Fondation de l'Empire font le charme du noyau central de la zone piétonne dans la Sternstrasse (ci-dessus) et au Dreieck (à droite). La fontaine du Dreieck est ornée d'une représentation badine des Trois Grâces. Tout près de la, dans le Mauspfad, se trouve le plus vieil estaminet de la ville.

Die Kaiserpassage aus dem Jahr 1979 verbindet den Martinsplatz zu Füßen des Chors der Münster-Basilika mit dem Kaiserplatz. Sie lockt gleichzeitig zum Einkaufsbummel wie auch zum Verweilen in zahlreichen Restaurants und zum Ausspannen im Kintopp. In einem Café laufen von früh bis spät die neuesten Nachrichten über den Ticker.

Kaiserpassage, built in 1979, connects Martinsplatz at the foot of the Münster Basilica chancel with Kaiserplatz. It attracts shoppers as well as those who want to relax in one of the numerous restaurants or in Kintopp. The latest news comes via ticker tape from morning till evening in a cafe.

Le Kaiserpassage, réalisé en 1979, unit la Martinsplatz, située au pied du chœur de la basilique, à la Kaiserplatz. Il invite à lécher les vitrines, à s'attarder dans l'un des nombreux restaurants et à se délasser au Kinntopp. Dans l'un de ces cafés, une horloge annonce les dernières nouvelles, dès tôt le matin jusqu'à tard le soir.

Das Sterntor (links) an der Vivatsgasse zwischen Münster- und Friedensplatz ist das einzige sichtbare Zeugnis der mittelalterlichen Stadtmauer aus dem 13. Jahrhundert. Neueren Datums – nämlich aus dem Jahr 1902 – ist der Gänsebrunnen vor dem Westportal der Münsterkirche. An ihm zieht Jahr für Jahr der „Lichterwurm" des Martinszuges vorbei.

Sterntor (left) in Vivatsgasse, between Münsterplatz and Friedensplatz, is the only visible remains of the medieval city walls from the 13th century. Of more recent date, namely 1902, is the Gänsebrunnen (Goose Fountain) at the west portal of Münster Church. Every year the lights of St. Martin's parade pass by.

La Sterntor (à gauche) dans la Vivatsgasse, entre la Münsterplatz et la Friedensplatz, est le seul vestige de la ville médiévale du 13e siècle. De construction plus récente – soit de 1902 – la Fontaine des Oies se dresse devant le portail ouest de la Münsterkirche. Devant elle passe chaque année le «ver de lumière» de la procession de la Saint-Martin.

140 Meter breit ist die Hauptfront des 1697 begonnenen Residenzschlosses der Kölner Kurfürsten, das seit dem Beginn des 19. Jahrhunderts die Rheinische Friedrich-Wilhelms-Universität beherbergt. Die Fassade mit der „Regina Pacis" (Maria als Königin des Friedens) öffnet sich auf das weite Grün des Hofgartens – Schauplatz in der Geschichte der Bundesrepublik Deutschland – mittlerweile legendärer Großdemonstrationen und ansonsten sommerlicher Tummelplatz der Studenten.

The main front of the residential palace of the Cologne elector-princes, started in 1697, is 140 meters wide. It has housed the Rheinische Friedrich-Wilhelms University since the beginning of the 19th century. The facade with "Regina Pacis" (Mary as the Queen of Peace) opens onto the expansive green of the place garden, a scene of postwar German history, i.e. the now legendary large student demonstrations, and generally a favorite hangout for students in the summer.

La façade principale du château du prince-électeur de Cologne, commencé en 1697, a 140 mètres de long. Depuis le début du 19e siècle, il abrite la Rheinische Friedrich-Wilhelms-Universität. La façade avec Notre-Dame, Reine de la Paix, «Regina Pacis» donne sur la vaste étendue de verdure du Hofgarten, théâtre, dans l'histoire de la République Fédérale d'Allemagne, des manifestations de masse désormais légendaires et lieu habituel, l'été, des ébats étudiants.

Vis à vis der Universität und ihr architektonischer Gegenpol: die alte Anatomie, ein Bau Karl-Friedrich Schinkels aus dem Jahr 1824, der seit 1884 als Akademisches Kunstmuseum dient. Hier wird eine der bedeutendsten Sammlungen von Gipsabgüssen antiker Skulpturen gezeigt, deren Originale größtenteils längst vom Zahn der Zeit und kritischen Umwelteinflüssen zerstört sind.

Across from the university and providing an architectural counterpoint is the old Anatomy Building, constructed by Karl-Friedrich Schinkels in 1824. Since 1884 it has served as the Academic Art Museum, which has one of the most significant collections of plaster casts of antique sculptures, the majority of the originals having been destroyed by the hands of time and pollution.

Faisant face à l'université et formant son pendant architectural, l'édifice de la vieille Anatomie, oeuvre de Karl-Friedrich Schinkel de 1824. Il accueille depuis 1884 l'Akademisches Kunstmuseum et présente une importante collection de moulages en plâtre de sculptures antiques dont les originaux, pour la plus grande partie, ont disparu depuis longtemps, victimes des ravages du temps et des effets néfastes de l'environnement.

Über die Poppelsdorfer Allee (links) mit den reich verzierten Stuckfassaden großbürgerlicher „Reihenhäuser" der Jahrhundertwende – die übrigens in der benachbarten Südstadt in einmaliger Fülle erhalten sind – führt der Weg zum Poppelsdorfer Schloß; einst war es ein Lustschloß des Kurfürsten Clemens August. Heute dient es der Universität, sommerlichen Freiluft-Konzerten in der Rotunde und als Kulisse des Botanischen Gartens.

The elaborately decorated stucco facades of the town houses of the upper middle class from the turn of the century, the best maintained examples of which can be seen in neighboring Südstadt, line Poppelsdorfer Allee (left), which leads to Poppelsdorfer Palace, once the summer palace of Elector-Prince Clemens August. It now is the setting for the University's outdoor summer concerts in the rotunda and the backdrop for the botanical gardens.

La Poppelsdorfer Allee (à gauche) qui mène au Poppelsdorfer Schloss est bordée des façades richement décorées de stucs des maisons de la grande bourgeoisie de la fin du siècle dernier. Elles sont particulièrement nombreuses dans la Südstadt voisine. Quant au château, c'était jadis une folie du prince-électeur Clemens August. De nos jours, il est utilisé par l'université, en été, on donne des concerts en plein air dans la rotonde et il sert de toile de fond au jardin botanique.

Unter den zahlreichen Resten der Ende des 17. Jahrhunderts errichteten Bastionsmauern ist der Alte Zoll hoch über dem Rhein der herausragendste. Die alten Kanonen dienen nur noch als Staffage für Erinnerungsfotos. Auf dem Alten Zoll wurde 1865 das Denkmal Ernst Moritz Arndts aufgestellt, nachdem sich zuvor an dieser Stelle hundert Jahre lang die Flügel einer der beiden letzten Windmühlen Bonns drehten.

Alte Zoll (Old Customs House), towering above the Rhine, is the most visible part of the numerous remains of the old bastion walls, built at the end of the 17th century. Today the cannons only serve as props in snapshots. The Ernst Moritz Arndt Monument was set up at Alte Zoll in 1865, where previously the vanes of one of Bonn's last two windmills had turned for a hundred years.

Parmi les nombreux vestiges du rempart construit à la fin du 17e siècle, la Vieille Douane, bien haut au-dessus du Rhin, est la plus remarquable. Les vieux canons servent désormais d'accessoire pour les photos souvenirs. Un monument dédié à Ernst Moritz Arndt fut érigé sur la Vieille Douane en 1865, à l'emplacement où les ailes de l'un des deux derniers moulins de Bonn avaient tourné pendant cent ans.

Vom Alten Zoll aus schweift der Blick über den weiten Rheinbogen zum Siebengebirge und auf die ständig belebte Uferpromenade mit den Anlegern der Ausflugs-„Dampfer" und dem 1979 geschaffenen „Lenné-Parterre" – einer kleinen Gartenanlage in memoriam des großen preußischen Landschaftsgärtners Peter Joseph Lenné, der in Bonn geboren wurde.

Alte Zoll offers a view over the broad bend in the Rhine to Siebengebirge and the always bustling river promenade, with the landing stages of the excursion boats. One can also see "Lenné Parterre", a small garden area laid out in 1979 commemorating the great Prussian landscape architect, Peter Joseph Lenné, who was born in Bonn.

De la Vieille Douane la vue s'étend sur la large courbure du Rhin jusqu'au Siebengebirge. La promenade de la rive est toujours pleine de vie avec l'embarcadère du bateau d'excursions. Le «Lenné-Parterre» est un petit jardin aménagé en 1979 à la mémoire du grand architecte paysagiste prussien Peter Joseph Lenné qui naquit à Bonn.

Blick auf die Gartenfront der Villa Hammerschmidt, die seit 1949 Sitz des Bundespräsidenten ist und dies – als „Außenstelle" – auch nach dem Umzug des Präsidenten ins Berliner Schloß Bellevue bleibt. Die Villa wurde 1865 von Leopold Koenig erbaut, der im russischen Zarenreich den Anbau der Zuckerrübe einführte und als „Zuckerkönig" Millionär wurde. Gleich nebenan das Palais Schaumburg, eine Villa der Kaiser-Schwester Viktoria von Preußen aus dem Jahr 1860; hier residierten bis zum Bau des neuen Kanzleramts die ersten Bundeskanzler der Bundesrepublik Deutschland.

A view of the garden side of Villa Hammerschmidt, residence of the German President since 1949 and which remains the "branch office" since the move to Bellevue Palace in Berlin. The Villa was built in 1865 by Leopold Koenig who had introduced the cultivation of sugar beets in Czarist Russia, making him the "Sugar King" and a millionaire. Next to the Villa is the Schaumburg Palace of the Kaiser's sister, Victoria of Prussia, dating from 1860. The first Chancellor of the German Federal Republic resided here until the completion of the new Chancellor's office.

Vue sur la façade du jardin de la villa Hammerschmidt qui, depuis 1949, est la résidence du président de la République Fédérale et qui le reste en tant que «succursale» même après que le président a emménagé dans le château berlinois de Bellevue. Cette villa a été construite en 1865 par Leopold Koenig qui introduisit la culture de la betterave à sucre dans l'empire du Tzar et devint millionnaire, ce qui lui valut le surnom de «roi du sucre». Juste à côté, le palais Schaumburg, villa de Viktoria, soeur du roi de Prusse, datant de 1860. Les premiers chanceliers de la République Fédérale y résidèrent jusqu'à la construction de la nouvelle chancellerie.

An der Nahtstelle zwischen Palais Schaumburg und neuem Bundeskanzleramt mit der tonnenschweren Skulptur „Zwei große Formen" von Henry Moore (oben) steht auf dem Bürgersteig das bronzene Adenauer-Denkmal, das von Verehrern des „Alten von Rhöndorf" immer wieder mit Rosen geschmückt wird. Zahlreiche Reliefs, die in den Kopf eingearbeitet sind, erinnern an die bewegten Stationen im Leben des großen Politikers.

At the junction between the Schaumburg Palace and the new Chancellor's Office with the massive sculpture, "Two Large Forms" by Henry Moore (above), stands the bronze Adenauer Monument – situated on the sidewalk and often draped with roses by the admirers of the "Old man from Rhöndorf". Numerous reliefs on the head represent the eventful periods in the life of the great politician.

A la limite du palais Schaumburg et de la nouvelle chancellerie se trouve la sculpture de plusieurs tonnes «Deux Grosses Formes» d'Henry Moore (ci-dessus) et, sur le trottoir, le monument en bronze d'Adenauer. Les admirateurs du «Vieux de Rhöndorf» le parent toujours de roses. La tête est sculptée de reliefs qui rappellent les étapes de la vie mouvementée du grand politicien.

Noch mindestens bis 1998 wird der neue Plenarsaal des Stuttgarter Architekten Günter Behnisch Mittelpunkt des parlamentarischen Lebens in Deutschland bleiben. Die beschwingte Architektur des Hohen Hauses gilt weltweit als wegweisendes Beispiel „gebauter Demokratie". In unmittelbarer Nachbarschaft: das 1969 fertiggestellte Abgeordneten-Hochhaus (29 Stockwerke) von Egon Eiermann. Bundestagspräsident Eugen Gerstenmaier verhalf dem Hochhaus zu seinem Spitznamen „Langer Eugen" – längst ein Markenzeichen des politischen Bonn.

The new chamber designed by Stuttgart architect Günter Behnisch will remain the center of German parliamentary life until at least 1998. The graceful architecture of the tall building is considered to be a pioneering example for "democratic structures" worldwide. Right next to it is the Parliament building (29 stories), designed by Egon Eiermann and completed in 1969. Parliament President, Eugen Gerstenmaier, lent the tall building, which has long been a symbol of political Bonn, its nickname "Langer Eugen".

La nouvelle salle de réunion de l'assemblée, oeuvre de l'architecte de Stuttgart Günter Behnisch, restera, au moins jusqu'en 1998, le coeur de la vie parlementaire en Allemagne. L'architecture légère de la «Hohen Haus» est considérée dans le monde entier comme une oeuvre de pionnier, exemple de la «démocratie construite». Dans le voisinage immédiat, l'édifice des Députés, complété en 1969 (29 étages) d'Egon Eiermann. Le président de la diète fédérale Eugen Gerstenmaier lui valut le surnom de «long Eugène». C'est depuis longtemps le symbole de la politique de Bonn.

Kirchen in Bonn

Die romanische Münsterbasilika aus dem 12. und 13. Jahrhundert mit ihren im Rheinland einzigartig erhaltenen Stiftsgebäuden und dem Kreuzgang erhebt sich an einer Stelle, an der sich über den Gräbern der Bonner Stadtpatrone, der römischen Legionäre und Märtyrer Cassius und Florentius, schon im 4. Jahrhundert eine christliche Kapelle befand. In spätromanischer Farbigkeit präsentiert sich das Innere der Kirche.

The Romanesque Münster Basilica from the 12th and 13th centuries, with the only cathedral chapter buildings and cloister of its kind in Rhineland, stands at the site where a Christian chapel already stood in the 4th century overlooking the graves of the patron saints of Bonn, the Roman legionnaires and martyrs Cassius and Florentious. The church interior is in colorful, late Romanesque style.

La basilique romane des 12e et 13e siècles avec ses bâtiments collégiaux uniques en leur genre en Rhénanie et son cloître se dresse à l'emplacement d'une chapelle funéraire chrétienne du 4e siècle élevée sur les tombes des saints patrons de Bonn, les légionnaires romains et martyrs Cassius et Florentius. L'intérieur de l'église est coloré dans le style roman tardif.

Ein Juwel barocker Baukunst ist die „Heilige Stiege" Balthasar Neumanns auf dem Kreuzberg hoch über Poppelsdorf. Die 1751 im Auftrag Kurfürst Clemens Augusts errichtete Treppe – ein Nachbau der „scala sancta" im römischen Lateran, bei dem es sich um die Treppe zum Palast des Pilatus in Jerusalem handeln soll – hat 28 Stufen, die von gläubigen Pilgern auf den Knien erklommen werden.

Balthasar Neumann's "Heilige Stiege" on Kreuzberg, high above Poppelsdorf, is a gem of baroque architecture. The stairs, modelled after the "Scala Sancta" of the Lateran in Rome, which is supposed to represent the stairs to the Palace of Pilatus in Jerusalem, and whose construction was ordered by Elector-Prince Clemens August in 1751, have 28 steps which devout pilgrims climb on their knees.

Le «Saint Escalier» de Balthasar Neumann est un bijou d'architecture baroque. Il s'élève sur le Kreuzberg et domine Poppelsdorf. Cet escalier que le prince-électeur Clemens August fit construire en 1751 est une copie de la «Scala Sancta» du Lateran à Rome qui serait l'escalier qui menait au palais de Pilate à Jérusalem. Il a 28 marches que les pélerins montent à genoux.

Romanische Baukunst in Reinkultur ist die 1151 geweihte, sogenannte Doppelkirche in Schwarzrheindorf, deren Original-Fresken erhalten sind. Das Bauwerk ist nach dem Vorbild des Oktogons im Aachener Dom in eine Oberkirche für die kaiserliche Familie und eine Unterkirche für das Volk aufgeteilt. Vom nicht erhaltenen kaiserlichen Thron in der Oberkirche fällt der Blick durch eine achteckige Öffnung auf den Altar in der Unterkirche.

The so-called "Double Church" in Schwarzrheindorf, which was consecrated in the year 1151 and whose frescoes still remain intact, is an example of Romanesque architecture. The structure is divided into an upper church for the Kaiser's family and a lower church for the masses, styled after the Octagon in the Aachen Cathedral. From his throne (no longer intact) in the upper church the Kaiser could look through an octagonal opening to the altar of the lower church.

L'église double de Schwarzrheindorf, consacrée en 1151, est un témoin du style roman dans toute sa pureté. Elle a encore ses fresques d'origine. Cet édifice, tout comme son modèle, l'Octogone de la cathédrale d'Aix-la-Chapelle, est divisé en un étage supérieur pour la famille impériale et un étage inférieur pour le peuple. Du trône de l'empereur (qui n'a pas été conservé), en regardant par une ouverture octogonale, on peut voir l'autel de l'église inférieure.

Ein beschaulicher Ort der Stille inmitten der Stadt ist der Alte Friedhof. Hier finden sich die Grabstätten zahlreicher Größen der Wissenschaft, Musik und Poesie – darunter auch das jüngst restaurierte Grabmal Clara und Robert Schumanns und die Gräber der Mutter Beethovens, der Familie Friedrich Schillers, August von Schlegels und Ernst Moritz Arndts. Im Mittelpunkt des alten Gottesackers die hierhin versetzte romanische Kapelle der Deutschordens-Kommende Ramersdorf.

The Old Cemetery in the middle of the city is a peaceful retreat. Here one can find the the graves of famous persons from science, music and poetry – including the recently restored tomb of Clara and Robert Schumann and the graves of Beethoven's mother, the family of Friedrich Schiller, August von Schlegel and Ernst Moritz Arndt. Standing at the center of the cemetery is the Romanesque Chapel of the German Order of Ramersdorf, which was moved to this location.

Le Vieux Cimetière est un lieu de paix et de recueillement au milieu de la ville. On y trouve les tombes des grands hommes et femmes de la science, de la musique et de la poésie – parmi elles, celle de Clara et Robert Schumann, récemment restaurée et les tombes de la mère de Beethoven, de la famille de Friedrich Schiller, d'Auguste von Schlegel et d'Ernst Moritz Arndt. Au coeur du cimetière la chapelle de la commanderie de l'Ordre des Chevaliers Teutoniques de Ramersdorf, déplacée ici.

Bad Godesberg

Hoch über dem Diplomatenstadtteil Bad Godesberg erhebt sich der Bergfried der Godesburg. Die Ruine der mittelalterlichen landesherrlichen Festung wurde in die Neubauten eines Hotels und eines Restaurants einbezogen, von dessen Terrasse man einen prächtigen Blick auf Bad Godesberg und das Siebengebirge genießen kann.

The Godesburg keep stands high above Bad Godesberg, Bonn's diplomatic district. The ruins of the fortress from the Middle Ages were incorporated into a modern hotel and restaurant. The restaurant terrace offers a magnificent view of Bad Godesberg and Siebengebirge.

Le beffroi de Godesburg domine Bad Godesberg, le quartier des diplomates. Les ruines de cette forteresse médiévale furent incorporées aux bâtiments modernes d'un hôtel et d'un restaurant de la terrasse duquel l'on a une vue magnifique sur Bad Godesberg et le Siebengebirge.

Einkaufen in Bad Godesberg – links die Bürgerstraße, oben die Rampe vom Michaelsplatz zum „Altstadt-Center" – war immer schon etwas Besonderes. Die Klientel des Diplomaten-Stadtteils bestimmt das Sortiment in der 1969 nach Bonn eingemeindeten ehedem selbständigen Stadt.

Shopping in Bad Godesberg has always been something special – on the left, Bürgerstraße; above, the ramp from Michaelsplatz to the center of the Old Town. The clientele of the diplomatic district sets the tone for the items offered in this previously independent city which was incorporated into Bonn in 1969.

Faire des achats à Bad Godesberg – à gauche la Bürgerstrasse, ci-dessus la rampe menant de la Michaelsplatz au «Altstadt-Center» – a toujours été quelque chose de spécial. La clientèle du quartier des diplomates détermine l'assortiment dans ces lieux qui constituaient une ville autonome jusqu'à ce qu'elle fut réunie à Bonn en 1969.

Auch Kurfürsten – in diesem Fall der Wittelsbacher Max Franz – waren keine Kostverächter. 1790 bis 1792 ließ er von Michael Leydel in der Nähe des Mineralbrunnens die Redoute als Ball- und Konzerthaus errichten. Hier spielte 1792 Ludwig van Beethoven dem auf der Durchreise von London nach Wien befindlichen Joseph Haydn auf dem Klavier vor. Die Redoute war in den Jahren der „Bonner Republik" immer wieder Schauplatz glanzvoller gesellschaftlicher Ereignisse, so auch des alljährlichen Neujahrsempfangs durch die Bundespräsidenten.

The elector-princes, in this case Max Franz from Wittelsbach, were not afraid of spending money either. He had Michael Leydel build the ballroom and concert hall, "Redoute", close to the mineral springs from 1790 to 1792. Ludwig van Beethoven performed on the piano here for Joseph Haydn, who was passing through on this way from London to Vienna in 1792. During the years of the "Bonn Republic", the Redoute was frequently the setting for galas and the traditional New Year's reception given by the German presidents.

Les princes-électeurs, eux non plus – dans ce cas Max Franz de Wittelsbach – n'étaient pas pingres. De 1790 à 1792 il fit construire la Redoute par Michael Leydel, près de la source thermale. Elle servait de salle de bals et de concerts. En 1792 Ludwig van Beethoven y joua du piano pour Joseph Haydn qui voyageait de Vienne à Londres. Durant la «République de Bonn» la Redoute était le théâtre de brillants événements mondains, comme la réception annuelle du 1er janvier donnée par le président de la république.

Im Schatten der Godesburg auf dem Burgberg steht die Michaelskapelle mit ihrer reichen barocken Innenausstattung. Die ehemals romanische Kapelle wurde 1583 von den Belagerern unter Ferdinand von Bayern in den „Truchsessischen Wirren" zusammen mit der Burg durch eine gewaltige Mine zerstört, 1670 wiederaufgebaut und 1697 als Sitz des bayerischen Michaelsordens bestimmt. Von 1805 bis 1860 war die Kapelle Pfarrkirche von Bad Godesberg.

In the shadow of Godesburg on Burgberg stands the Michael's Chapel, with it spectacular baroque interior. The originally Romanesque chapel was destroyed by a powerful mine along with the castle in 1583 during the "Truchsessischen Wirren" by the troops under Ferdinand von Bayern who had laid siege to the city. It was rebuilt in 1670 and was made the seat of the Bavarian Michael's Order in 1697. The chapel served as the parish church of Bad Godesberg from 1805 to 1860.

La Michaelskapelle à la riche décoration intérieure de style baroque se dresse sur le Burgberg à l'ombre du Godesburg. En 1583, durant le «Truchsessischen Wirren» et le siège commandé par Ferdinand de Bavière, la chapelle romane et la forteresse furent détruits par une terrible explosion. La chapelle fut reconstruite en 1670 et devint le siège de l'Ordre Bavarois de Saint-Michel en 1697. Elle fut église paroissiale de Bad Godesberg de 1805 à 1860.

Kulturelles Bonn

Die 1949 in nur neun Monaten anstelle der von den deutschen Truppen auf dem Rückzug gesprengten Vorgängerin gebaute Kennedy-brücke lenkt den Blick vom Beueler Rheinufer auf die in den 60er Jahren als Stadttheater errichtete heutige Oper. Das Schauspiel ist seit der Saison 1986/87 in den umgebauten Bad Godesberger Kammerspielen und der ehemaligen Fabrik-„Halle Beuel" untergebracht.

The Kennedy Bridge, constructed in only nine months in 1949 to replace its predecessor, which had been blown up by retreating German troops, attracts attention from the Beueler bank of the Rhine to the Opera, originally built as the City Theater in the 1960s. The theater company has performed in the remodelled Bad Godesberger Kammerspielen and in a former factory, "Halle Beuel", since the 1986/87 season.

Le pont Kennedy, construit en 1949 en neuf mois seulement à la place de celui que les troupes allemandes avaient fait sauter en se retirant. Il entraîne le regard de la rive de Beuel vers l'actuel opéra, construit dans les années soixante comme théâtre municipal. Depuis la saison théâtrale de 1986/87 c'est l'édifice remanié des Kammerspiele de Bad Godesberg et l'ancienne fabrique «Halle Beuel» qui servent de théâtre.

Architektur der 50er Jahre „vom Feinsten": Die Beethovenhalle, zu der Bundespräsident Theodor Heuss den Grundstein legte und die im September 1959 feierlich mit Beethovens „Neunter" eröffnet wurde. Im akustisch und architektonisch wohlproportionierten großen Saal finden nicht nur Konzerte, sondern auch Kongresse und große Bälle statt.

The best of 50s architecture: Beethoven Hall, whose foundation stone was laid by German President Theodor Heuss, was ceremonially opened with Beethoven's "Ninth" in 1959. The acoustically and architecturally well-proportioned Hall is not only used for concerts but also conferences and large balls.

Architecture des années cinquante à son meilleur: le Beethovenhalle dont le président de la république Theodor Heuss posa la première pierre et qui fut inauguré solennellement en septembre 1959 avec la Neuvième Symphonie de Beethoven. Dans cette grande salle aux excellentes proportions tant pour l'architecture que pour l'acoustique ont lieu non seulement des concerts mais aussi des congrès et de grands bals.

Das Arndt-Haus, in dem der seit der Gründung der preußischen Friedrich-Wilhelms-Universität 1818 in Bonn lebende Ernst Moritz Arndt am 29. Januar 1860 starb, ist heute mit seiner biedermeierlichen Einrichtung sowie zahlreichen Erinnerungsstücken an Arndt Teil des im Aufbau befindlichen Historischen Stadtmuseums. Kaum zu glauben: 67 Jahre lang bis 1927 war der heutige Rosengarten vor dem Haus der Übungsplatz der Bonner Turner ...

The Arndt House, in which Ernst Moritz Arndt, who lived in Bonn from the founding of the Prussian Friedrich-Wilhelms University in 1818, died on January 29, 1860. Its Biedermeier interior and numerous pieces which belonged to Arndt are now part of the Municipal Museum of History. It is hard to believe that the present rose garden served as the training groups for Bonn gymnasts for 67 years until 1927.

L'Arndt-Haus dans laquelle mourut Ernst Moritz Arndt, le 29 janvier 1860. Il vivait à Bonn depuis la fondation de l'université prussienne Friedrich-Wilhelm en 1818. Avec son ameublement de style Biedermeier et les nombreux objets liés au souvenir d'Arndt, cette maison constitue une section du musée Historique Municipal actuellement en construction. Chose difficile à croire: pendant 67 ans, jusqu'en 1927, l'actuelle roseraie, devant la maison, servait de lieu d'entraînement aux gymnastes de Bonn.

Dort wo heute Gipsabgüsse antiker Skulpturen Besucher und Forscher gleichermaßen faszinieren, befand sich bis zum Ende des 19. Jahrhundert das „Amphitheater" der alten Anatomie. Das heutige Akademische Kunstmuseum am Hofgarten besitzt neben den Gipsabgüssen auch eine bedeutende Sammlung originaler antiker Vasen und Terrakotten. Der Architektur des Hauses hat der berühmte Architekt Karl Friedrich Schinkel den letzten Schliff gegeben.

Until the end of the 19th century the "Amphitheater" of the Old Anatomy Building stood where plaster casts of antique sculptures now fascinate visitors and researchers alike. In addition to the plaster casts, the present-day Academic Art Museum at Hofgarten has an important collection of antique vases and terracotta pieces. The finishing touches of the building's architecture were left to the famous architect, Friedrich Schinkel.

A l'endroit où sont exposés les moulages des sculptures antiques qui fascinent visiteurs et savants se trouvait, jusqu'à la fin du 19e siècle, l'amphithéâtre de la vieille Anatomie. L'actuel Akademische Kunstmuseum du Hofgarten possède, en plus des moulages, une importante collection de vases antiques et d'objets de terre cuite originaux. Le célèbre Karl Friedrich Schinkel a donné le dernier coup de polissage à l'architecture de cet édifice.

Berühmtheit erlangte die ausgestopfte Giraffe im Lichthof des Zoologischen Museums Alexander Koenig: Sie lugte bei der konstituierenden Sitzung des Parlamentarischen Rates am 1. September 1948 als einzige über den Vorhang hinaus, der die übrigen Präparate der Sammlung würdig verhüllte. Heute ist das Museum Bestandteil der „Bonner Museumsmeile", zu der auch die funkelnagelneuen Gebäude des Hauses der Geschichte, des Städtischen Kunstmuseums und der Bundeskunsthalle zählen.

The stuffed giraffe in the glass hall of the Alexander Koenig Zoological Museum is famous: It was the only animal able to peep over the curtains which respectfully hid the other preserved specimens at the opening session of the Parliamentary Council on September 1, 1948. The museum is now part of "Bonn' Museum Row", which also includes the brand-new building of the House of History, the City Art Museum and the National Art Museum.

La girafe empaillée dans la cour vitrée du Musée de Zoologie Alexander Koenig parvint à la célébrité: lors de l'assemblée constituante du 1er septembre 1948, elle reluquait seule au-dessus du rideau qui dissimulait dignement les autres spécimens de la collection. Ce musée fait maintenant partie du «Bonner Museumsmeile» qui comprend aussi l'édifice flambant neuf de la Haus der Geschichte, le Städtische Kunstmuseum et le Bundeskunsthalle.

Die hochherrschaftliche Fassade des Zoologischen Museums Alexander Koenig dokumentiert nicht zuletzt den Reichtum des Hausherrn in der gegenüber liegenden Villa Hammerschmidt: Durch seinen Vater, den in Rußland zum „Zuckermillionär" avancierten Großkaufmann Leopold Koenig, konnte Sohn Alexander sich eine derart aufwendige Unterkunft für sein Forschungsgebiet leisten. Nach dem Verlust seines Vermögens durch die Inflation stiftete Koenig das 1914 eingeweihte Haus 1929 dem Deutschen Reich.

The elegant facade of the Alexander Koenig Zoological Museum reflects the wealth of the landlord of the Hammerschmidt Villa across the street. Thanks to his father, merchant Leopold Koenig who became "The Sugar Millionaire" in Russia, Alexander was able to build such an extravagant domicile for his research specimens. After the loss of his wealth through inflation, Koenig donated the building, inaugurated in 1914, to the German Reich in 1929.

La luxueuse façade du Musée de Zoologie Alexander Koenig témoigne de la richesse du propriétaire de la villa Hammerschmidt située en face: c'est grâce à son richissime père, le commerçant Leopold Koenig devenu «millionnaire du sucre» en Russie, qu'Alexander Koenig put s'offrir des locaux aussi onéreux pour ses recherches. Ruiné par l'inflation Koenig légua en 1929 à l'Empire Allemand l'édifice inauguré en 1914.

Das Rheinische Landesmuseum an der Colmantstraße ist nicht nur der Hort der Archäologie des Rheinlandes. Es dokumentiert neben der Geschichte des seit dem Neandertaler dichter als Mesopotamien besiedelten Landes zwischen Rhein und Maas auch die rheinische Malerei nach dem Zweiten Weltkrieg und verfügt über eine fotografische Sammlung der Extraklasse.

The Rheinland State Museum on Colmanstraße guards not only the archeological finds of Rhineland. In addition to documenting the history of the area between the Rhine and Maas, which has been more densely populated than Mesopotamia since the time of the Neanderthals, it also has housed Rhineland paintings since the Second World War and has an enormous photography collection of first-class quality.

Le Rheinische Landesmuseum dans la Colmantstrasse n'est pas dédié uniquement à l'archéologie de la Rhénanie. Il documente l'histoire de la région comprise entre le Rhin et la Meuse – plus fortement peuplée à partir de l'ère de Neandertal que la Mésopotamie. Il présente aussi la peinture rhénane d'après guerre et une collection de photographies de très haut niveau.

Jüngstes Kind der boomenden Museumslandschaft in Bonn ist das „Haus der Geschichte der Bundesrepublik Deutschland" vis à vis des Noch-Regierungsviertels. Wollte der Besucher jedes der mehr als 4000 Exponate entsprechend würdigen, dann benötigte er allein zum Anschauen der Filme und Videos 27 Stunden. Unser Bild zeigt einen Blick auf die Bestuhlung des trotz Denkmalschutzes abgerissenen Plenarsaales aus dem Jahr 1949.

The youngest of the booming museums of Bonn is the "The House of the History of the Federal Republic of Germany" across from what is still the governmental administrative district. If a visitor wanted to view all of the 4000 exhibition pieces, he would need 27 hours just to view the films and videos. This photograph from 1949 shows the seating in the chamber which was torn down despite being classified as a historical monument.

Les musées se multiplient actuellement à Bonn et le dernier d'entre eux, le musée de l'Histoire de la République Fédérale d'Allemagne est situé en face du quartier du gouvernement. Si le visiteur voulait faire honneur aux quelques 4 000 pièces exposées, il aurait déjà besoin de 27 heures pour ne regarder que les films et les vidéos. Notre photo montre les sièges de la salle de l'assemblée de 1949 qui fut démolie bien que classée monument historique.

Die Kunst- und Ausstellungshalle der Bundes-republik Deutschland – hier durch die schlanken Säulen des neuen Städtischen Kunstmuseums gesehen – hat sich mit spekta-kulären Sonderausstellungen in der kurzen Zeit ihres Bestehens bereits einen festen Platz in der europäischen Kulturszene gesichert. Außerge-wöhnlich der bei freiem Eintritt stets geöffnete Skulpturengarten auf dem Dach, wo bereits die bunten Großfiguren von Niki de Saint-Phalle und Calders Mobiles gezeigt wurden.

The Art and Exhibition Hall of the Federal Republic of Germany, seen here through the slender columns of the Municipal Art Museum, has earned its place in the European cultural scene in the short time it has existed with spectacular special exhibits. Unique is also the sculpture garden on the roof, always open to the public at no charge and which has already exhibited the large, colorful figures of Niki de Saint-Phalle and Calder's mobiles.

La Grande Salle d'Art et d'Exposition de la République Fédérale – vue ici à travers les minces colonnes du nouveau Städtische Kunstmuseum – s'est déjà assuré une place de choix sur la scène culturelle européenne durant sa brève existence. Le jardin des sculptures sur le toit est hors du commun. Il est toujours ouvert et l'entrée est gratuite. Les statues monumentales et hautes en couleur de Niki de Saint Phalle et les sculptures mobiles de Calder y furent déjà exposées.

Das Städtische Kunstmuseum legt seinen Schwerpunkt auf deutsche Kunst nach 1945. Sehenswert sind aber auch die Architektur des Hauses vom Reißbrett des Berliner Baumeisters Axel Schultes sowie die hervorragende Sammlung von Bildern rheinischer Expressionisten um August Macke. Kunstmuseum und Bundeskunsthalle verbindet ein delikat gestalteter Platz, der die Architektur beider Häuser eindrucksvoll in Szene setzt.

The Municipal Art Museum focuses on German art after 1945. Also of interest is the architecture of the so-called Drawing Board House, designed by Axel Schultes from Berlin, and a fantastic collection of the Rhine impressionist, August Macke. A delicately laid-out square, which pays tribute to both styles of architecture, joins the art museum and exhibition hall.

Le Städtische Kunstmuseum met l'accent sur l'art allemand après 1945. L'architecture de l'édifice conçu par le Berlinois Axel Schultes et la remarquable collection d'oeuvres du groupe expressionniste rhénan autour d'August Macke sont également dignes d'attention. Le Kunstmuseum et le Bundeskunsthalle sont reliés par une place de conception délicate qui met bien en valeur l'architecture des deux édifices.

Am Wochenende

Verschont geblieben von regierungsamtlicher Bauwut ist die ehemalige Auenlandschaft zwischen Langem Eugen und dem Godesberger Dörfchen Plittersdorf. Als Landschaftsgarten umgestaltet feierte der neue Rheinauenpark 1979 als Bundesgartenschau Premiere. Heute ist er – schon gehörig zugewachsen – der bevorzugte Freizeit-Tummelplatz der Bonner und Schauplatz großer Veranstaltungen, wie „Rhein in Flammen", des Rockfestivals „RheinKultur" oder des Riesenflohmarktes in den Sommermonaten.

The former meadowlands between Langer Eugen and the Godesberg village of Plittersdorf has managed to avoid the governmental construction craze. Turned into a landscape garden, Rheinauenpark was officially opened in 1979 with the National Garden Show. Today, with its luxuriant plant growth, it is the favorite leisure-time attraction of Bonn residents as well as the site of large events attracting hundreds of thousands of visitors, such as "Rhine in Flames", the "Rhine Culture" rock festival or the huge flea market in the summer months.

Les anciennes prairies entre le Long Eugène et le petit village de Plittersdorf dans le Godesberg ont été épargnées par la furie de bâtir des administrations. Elles furent transformées en un parc de paysage et le nouveau Rheinauenpark accueillit l'Exposition Horticole Fédérale de 1979. A présent – les arbres ayant déjà bien poussé – c'est un lieu de détente très aimé et le théâtre de grands événements qui attirent des milliers de spectateurs comme le «Rhin en Flammes», le festival de rock «Rheinkultur» ou le gigantesque marché aux puces des mois d'été.

Wer in Bonn vom kurfürstlichen Barockglanz noch nicht genug bekommen hat, dem empfiehlt sich ein Abstecher nach Schloß Augustusburg in Brühl. Auch dies ein Zeugnis der Prachtliebe Clemens Augusts. Das Schloß, als Rohbau von Conrad Schlaun begonnen und von Balthasar Neumann vollendet, mit dem von Lenôtre-Schülern gestalteten berühmten Park, war in den vergangenen Jahren Ort glanzvoller Staatsgalas. Besonders prachtvoll ist das Treppenhaus, als Entree zu einer prunkvollen Hofhaltung seit nunmehr über 250 Jahren „in Gebrauch".

Those who have not had enough of royal baroque splendor in Bonn should take a side trip to Augustusburg Castle in Brühl. It also is a testimony to Clemens August's love of splendor. The castle, whose basic structure was started by Conrad Schlaun and was then completed by Balthasar Neumann, has famous gardens designed by students of Lenôtre which were the site of spectacular government celebrations in past years. The staircase is particularly spendid, as an entree to a magnificent holding of court that has been "in use" for over 250 years.

Qui ne s'est pas encore rassasié à Bonn de la splendeur baroque du prince-électeur peut aller jusqu'au château d'Augustusburg à Brühl, autre témoin des goûts somptueux de Clemens August. Le château commencé par Conrad Schlaun et terminé par Balthasar Neumann et dont le célèbre parc fut dessiné par des élèves de Lenôtre, fut le théâtre, dans les années passées, de brillants galas officiels. La cage d'escalier, entrée de la luxueuse demeure princière «en service» depuis plus de 250 ans, est particulièrement somptueuse.

Das heutige Bonn ist eine Ansammlung alter Dörfer. Fast 50 von ihnen finden sich in den neuen Stadtgrenzen von 1969. Das schönste von ihnen – sagen viele – ist Muffendorf im Godesberger Süden. Nicht nur die vielen liebevoll gepflegten und restaurierten Fachwerkhäuser, auch die ehemaligen Deutschordens-Kommende (oben) und die kleine Beethovenhalle (Konzerte und Dorffeste) lohnen einen Besuch.

Today's Bonn is a collection of old villages. Almost 50 of them are included within the new city limits dating from 1969. Many consider Muffendorf, in south Godesberg, to be the most beautiful. In addition to the numerous lovingly maintained and restored half-timbered buildings, it is also worth a visit to the former German Order (above) and the small Beethoven Hall (concerts and village festivals).

La Bonn actuelle est un assemblage de vieux villages. Prés de 50 d'entre eux se trouvent à l'intérieur des nouvelles limites de la ville fixées en 1969. Le plus beau de tous – beaucoup seront d'accord – est Muffendorf dans le sud de Godesberg. Les nombreuses maisons à colombages bien restaurées, l'ancienne commanderie de l'Ordre des Chevaliers Teutoniques (cidessus) et le petit Beethovenhalle (concerts et fêtes villageoises) méritent une visite.

„Hollands höchster Berg" wird er genannt, der Drachenfels hoch über Königswinter, und zwar in Anspielung auf die Besucher aus den Niederlanden, die wohl das größte Kontingent der Gipfelstürmer stellen. Die Anziehungskraft der kleinen Stadt gegenüber von Bad Godesberg ist ungebrochen. Und eine Wanderung durch die Sieben Berge – gerade abseits der Touristenpfade – lohnt allemal: die Ausblicke ins Rheintal sind hinreißend.

Drachenfels, high above Königswinter, is known as "Holland's highest mountain" because the majority of those who climb to the top are from the Netherlands. The small town across from Bad Godesberg continues to attract visitors. And a hike through Sieben Berge, especially away from tourist routes, is certainly worth doing. The views of the Rhine valley are spectacular.

On a baptisé le Drachenfels qui domine Königswinter «la plus haute montagne de Hollande» parce que les Hollandais sont les plus nombreux à en faire l'escalade. La petite ville en face de Bad Godesberg exerce toujours beaucoup d'attrait sur les visiteurs. Cela vaut la peine de faire une randonnée à travers les Sieben Berge, surtout hors des sentiers battus: les aperçus sur la vallée du Rhin sont magnifiques.

Der Petersberg – Luxushotel und Staatsherberge der Bundesrepublik Deutschland – hat nichts an Attraktion verloren. Auch nach dem Totalabriß des Hotels und Wiederaufbau als Gästehaus des Bundes zieht es nicht nur Prominenz auf den Berg. Spaziergänger erwartet neben einem phantastischen Blick ins Rheintal – bis nach Köln – auch ein Blick in die Geschichte, die mit einer keltischen Fliehburg begann. Zu sehen sind auch die Reste einer Abteikirche jener Mönche, die später das berühmte Kloster Heisterbach gründeten – ganz in der Nähe übrigens.

Petersberg, luxury hotel and accommodations for the German Federal Government, has lost none of its attractiveness, even after being completely torn down and reconstructed as a government guest house. It attracts not only prominent personalities to the top of the hill. Hikers can expect a fantastic view of the Rhine Valley, all the way to Cologne, as well as an insight into history, which began with a Celtic refuge. You can also see the ruins of the abbey church of the monks who later founded the famous Heisterbach Monastery, not far away.

L'attrait du Petersberg – hôtel de luxe et auberge d'état de la République Fédérale n'a pas diminué, même après qu'il eut été totalement démoli et rebâti pour accueillir les hôtes du gouvernement. Il n'attire pas que les gens importants sur la montagne. Une vue imprenable sur la vallée du Rhin – jusqu'à Cologne – et un aperçu de l'histoire des lieux qui commença avec un fort celte, attendent le visiteur. Tout près, l'on peut voir aussi les ruines d'une abbaye de l'ordre qui fonda, plus tard, le célèbre monastère d'Heisterbach.

Bonner Chronik

12 v. Chr.
Erste Römische Lager- und Werkstatt-Besiedelung am heutigen Boeselagerhof.
69 n. Chr.
Erstmalig wird Bonn als „Castra Bonnensia" genannt (durch Tacitus).
Um 1050
Das Münster (romanische Basilika) wird erbaut.
1244
Die Bonner Marktsiedlung wird ummauert – die Bürger erhalten Freiheiten und Rechte.
1451
Pestepidemie in Bonn.
1601
Bonn wird unter Kurfürst Ferdinand Sitz der Zentralbehörden und kurkölnische Haupt-/Residenzstadt.
1715
Schleifung der Festungswerke. Mit der Rückkehr des Kurfürsten Joseph Clemens beginnt der Ausbau zur Barockresidenz.
1723–1761
Unter Clemens August, dem großen Bauherrn und Mäzen erlebt Bonn eine Glanzzeit.
1770
Beethoven wird in Bonn geboren.
1786
erhebt der Kurfürst Max Franz von Habsburg-Lothringen die Bonner Akademie zur Universität.
1804 und 1811
Anwesenheit Napoleons.
1818
Gründung der Rheinischen Friedrich-Wilhelms-Universität.
1845
Errichtung des Beethoven-Denkmals auf dem Münsterplatz und großes Musikfest unter Anteilnahme von König Friedrich Wilhelm IV. und Königin Victoria von England.
1856
Robert Schumann in Bonn gestorben.
1898
Einweihung der ersten festen Rheinbrücke.
1944/45
Schwere Bombenangriffe, restlose Zerstörung der rheinzugewandten Seite der Altstadt.
1948
Bonn wird zum Sitz des Parlamentarischen Rates bestimmt.
1949
Bonn wird vorläufige Bundeshauptstadt.
1969
Zusammenschluß mit Bad Godesberg, Beuel und Teilen des Amtes Duisdorf und Siegerkreis.
1975
wird die Vereinbarung zum weiteren Ausbau Bonns als Bundeshauptstadt unterzeichnet.
1986
Der alte Plenarsaal wird abgerissen. Neubau eines neuen Plenarsaales nach Plänen von Günter Behnisch (Stuttgart).
1991
Der Deutsche Bundestag beschließt den Umzug von Parlament und Teilen der Regierung nach Berlin.
1994
Verabschiedung des Bonn-Berlin-Gesetzes und Festschreibung von 2,8 Milliarden Mark Ausgleichszahlungen für die „Bundesstadt" Bonn bis zum Jahr 2004.

Bonn's chronicle

12 B.C.
First Roman camp and workshop settlement at present site of Boeselagerhof.
69 A.D.
For the first time Bonn is named "Castra Bonnensia" (by Tacitus).
About 1050
The cathedral (Romanesque basilica) is built.
1244
The Bonn market settlement is walled in – the citizens receive freedom and rights.
1451
Plague epidemic in Bonn.
1601
Bonn becomes the seat of the central government and the capital and center of the electorate of Cologne under Elector-Prince Ferdinand.
1715
Destruction of Bonn's fortifications. Bonn's expansion as baroque residence begins with the return of Elector-Prince Joseph Clemens.
1723–1761
Bonn experiences a Golden Age under Clemens August, the great builder and Maecenas.
1770
Beethoven is born in Bonn.
1786
Elector-Prince Max Franz von Habsburg-Lothringen raises Bonn Academy to the level of university.
1804 and 1811
Visits by Napoleon.
1818
Founding of the Friedrich-Wilhelms-University on the Rhine.
1845
Erection of the Beethoven Monument at Münsterplatz with the participation of King Friedrich Wilhelm IV and Queen Victoria of Great Britain.
1856
Robert Schumann dies in Bonn.
1898
Dedication of the first fixed Rhine Bridge.
1944/45
Heavy bombings, complete destruction of the Altstadt (Old Town) section facing the Rhine.
1948
Bonn is appointed as seat of the Parliament.
1949
Bonn becomes temporary capital.
1969
Incorporation with Bad Godesberg, Beuel and parts of the districts of Duisdorf and Siegerkreis.
1975
The agreement is signed for the further expansion of Bonn as federal capital.
1986
The old chamber is torn down. Construction of a new chamber, designed by Günter Behnisch (Stuttgart).
1991
The German Bundestag decides in favor of moving Parliament and parts of the government to Berlin.
1994
Enactment of the Bonn-Berlin Act and earmarking of 2.8 billion marks in compensation for the "Federal City" of Bonn until the year 2004.

Histoire de Bonn

12 avant J.-C.
Colonie romaine avec camp et atelier, su l'emplacement de l'actuel Boeselagerhof.
69 après J.C.
Pour la première fois Bonn fut nommée «Castra Bonnensia» (par Tacite).
Vers 1050
La Cathédrale (basilique romaine) fut bâtie.
1244
L'emplacement du marché est entrouré de murailles. Les citoyens obtiennent des libertés et des droits.
1451
Epidémie de la peste à Bonn.
1601
Sous l'électeur Ferdinand, Bonn devient siège des autorités centrales et ville résidentielle principale de l'électorat.
1715
Démantèlement des fortifications de Bonn. Au retour de l'électeur Joseph Clemens. Bonn est aménagé en une résidence baroque.
1723–1761
Bonn connut une brillante époque, sous Clemens August, grand constructeur et mécène.
1770
Naissance de Beethoven à Bonn.
1786
L'électeur Max Franz de Habsburg-Lothringen élève l'académie de Bonn au rang d'université.
1804 et 1811
Présence de Napoléon.
1818
L'université rhénane Friedrich-Wilhelm est fondée.
1845
Edification du monument de Beethoven sur la place de la cathédrale en la présence du roi Friedrich Wilhelm IV et de la reine Victoria de Grande-Bretagne.
1856
Mort de Robert Schumann à Bonn.
1898
Inauguration du premier pont du Rhin.
1944/45
Bombardements, destruction complète de la vieille ville sur la rive gauche du Rhin.
1948
Bonn a été désignée siège du conseil parlementaire.
1949
Bonn devient provisoirement capitale fédérale.
1969
Regroupement de Bad Godesberg, Beuel et une partie de l'administration de Duisdorf et de Siegerkreis.
1975
Accord signé pour l'aménagement de Bonn en capitale fédérale.
1986
La vieille salle de l'assemblée est démolie et une nouvelle salle est construite sur les plans de Günter Behnisch.
1991
La diète fédérale allemande décrète le déménagement à Berlin du parlement et d'une partie du gouvernement.
1994
Adoption de la loi Bonn-Berlin et attribution de 2,8 milliards de Marks pour le dédommagement de la „ville fédérale" jusqu'à l'année 2004.